BIBLIOTHEEK BREDA
Wijkbibliotheek Zuidoost
Allerheiligenweg 19
tel. 076 - 5657675

het
ALLESBOEK
over
PIRATEN

In deze serie:

Het Allesboek over Voetbal

Het Allesboek over Piraten

BIBLIOTHEEK·BREDA
Wijkbibliotheek Zuidoost
Allerheiligenweg 19
tel. 076 - 5657675

Tekst
Marian van Gog

Tekeningen
Sieger Zuidersma

Nur 210, 212/LP010502
© Uitgeverij Kluitman Alkmaar B.V.
Omslagontwerp: Sieger Zuidersma en Design Team Kluitman
Alle rechten voorbehouden, inclusief het recht van reproductie
in zijn geheel of in gedeelten, in welke vorm dan ook.
Dit boek is gedrukt op chloorvrij gebleekt papier,
dat vervaardigd is van hout uit productiebossen.

www.kluitman.nl

Joho landrotten en zeeschuimers!

De bekende piraat Knoert-met-het-houten-been schreef ooit een zeer geheim handboek voor zeerovers. Daarin stond alles wat je moest weten om een goede piraat te worden. Maar het boek was zó geheim, dat hij het met onzichtbare inkt schreef. Niemand heeft het boek daarom ooit kunnen lezen!

Wil je toch alles weten over piraten? Lees dan dit boek. Dan kom je te weten waarom veel piraten een lap voor hun oog hadden…

En hoe ze hun wapen uitkozen.

Je ziet hoe een piratenvlag eruitzag…

En waar je moet graven om een echte piratenschat te vinden.

Dit, en nog veel meer, staat in dit boek. Lees dus gauw verder.

Heel veel…

Aanvallen!

Schip in zicht!

De piraten kijken omhoog als Jim roept. Jim is de jongste piraat. Hij is klein en licht. Hij kan snel in het want klimmen. Dat is dan ook zijn taak. Hoog in de mast is het kraaiennest. Daar zit Jim. Hij kijkt door zijn kijker over zee. 'Schip in zicht!' brult hij weer.

Klaar om te roven

Jim klimt snel omlaag.
'Is het De Walvis?' vraagt de Boots.
'Ja,' zegt Jim.
De piraten juichen. Eindelijk! Ze wachten al dagen op dat schip. Nu kunnen ze gaan roven!
Ze gaan snel aan het werk. Ieder heeft zijn taak. De Boots en de Stuur gaan naar het roer. Zij sturen het schip de goede kant op. Dus naar De Walvis toe.

De vlag

Jim hijst de vlag. Dat is ook zijn taak. Maar hij hijst niet de piratenvlag. Nee, stel je voor. Dan weet de vijand meteen wie ze zijn. En dat moet nog even geheim blijven. Daarom hijst Jim een gewone vlag.

Wapens

Elke piraat pakt zijn wapen. Een mes of een zwaard. Soms een pistool. De messen en zwaarden zijn scherp. Ze glanzen. Elk pistool is schoon en geladen. Aan de zijkant van het schip staat een kanon. Twee piraten laden het. Ze gebruiken het kanon niet graag. Want het maakt een groot gat in het schip dat ze aanvallen. En dan kan de buit verloren gaan. Dat moet niet. Toch laden ze het kanon. Want je weet maar nooit...

Verstop je!

'Zijn jullie klaar?' Kapitein Brul staat op de brug. 'Ik zei: zijn jullie klaar?'

'Jaaa!' klinkt het van alle kanten.

'Dan kan het feest beginnen!' Kapitein Brul lacht gemeen. De piraten lachen met hem mee. Dan duiken ze weg. Niemand mag ze zien. Nog niet...

Op De Walvis

Op De Walvis staat de stuurman. Hij kijkt door zijn kijker.
'Er komt een schip aan,' zegt hij.
'Toch geen piraten?' vraagt de kapitein.
De stuurman kijkt nog eens goed. 'Nee,' zegt hij. 'Ik zie een gewone vlag.'
'Dan is het goed,' zegt de kapitein. Ze varen door.
'Het schip komt wel erg dichtbij,' zegt de stuurman.
'Vreemd,' zegt de kapitein. 'Geef die kijker eens.'
De kapitein kijkt goed naar het schip. Het dek is leeg. Het schip vaart snel. En het vaart precies hun kant op. Toch raar...

Dicht bij elkaar

Het schip komt steeds dichterbij.
'Straks vaart het nog tegen ons aan,' roept de stuurman.
Dan wordt hij heel bleek. Want hij ziet iets...

De aanval

'Enteren!' De stem van kapitein Brul schalt over zee.
De piraten springen te voorschijn. Ze gooien een touw met haken naar De Walvis. Langs dat touw klimmen ze snel aan boord. De bemanning van De Walvis grijpt naar hun wapens. Maar ze zijn te laat. De piraten zwaaien met hun messen. Ze schieten op iedereen die zich verzet.

De buit

De piraten nemen de mannen gevangen. Ze binden ze allemaal vast. Ook de kapitein en de stuurman. Dan doorzoeken ze het schip. Er is zijde aan boord. En eten.
In de hut van de kapitein staat een kist. Daar zitten kleren in en sieraden. Er is ook nog wat geld aan boord. De piraten nemen alles mee.

Het is voorbij

Dan is de aanval voorbij. De piraten gaan naar hun schip terug. Ze varen snel weg.
De mannen op De Walvis zijn blij. Ze zijn veel kwijt.
Maar... ze leven nog!

Geluk gehad

De bemanning van De Walvis had geluk. Want piraten waren geen lieverdjes. Veel piraten waren zelfs erg wreed. Dat was niet voor niets. Als iedereen bang voor je was, had je de strijd al half gewonnen!
Piraten gaven één matroos een flink pak slaag. Daarna deed de rest wel wat ze wilden!

Pik in, dat schip

Soms pikten piraten het hele schip in. Dat deden ze als hun eigen schip niet goed meer was. Want door al dat vechten, ging er wel eens wat kapot. Een nieuw schip was dan heel welkom.
De bemanning van het schip moest ook piraat worden. Vaak wilden ze dat wel. Want op hun eigen schip was het leven meestal geen pretje. Veel kapiteins lieten je hard werken. Je kreeg weinig geld. En als je iets niet goed deed, kreeg je slaag.

Overboord

Wilde je geen piraat worden? Dan ging je overboord! Dat heette: je voeten wassen. Maar het had niets met wassen te maken. Je werd gewoon aan de haaien gevoerd! Ook bonden piraten wel eens een paar matrozen aan elkaar. Ze zetten ze in een sloep. Die sloep ging de zee op. Eten of drinken kregen de matrozen niet mee. Je wist dus wel hoe dat zou aflopen!

Leuk

Soms wilden de piraten het schip niet. Dan lieten ze het zinken. Voor de grap hingen ze de matrozen in de mast. Ze gooiden naar ze met een kapotte fles. Dat vonden ze een erg leuk spel...

Raar maar waar

Het was 1700. Ierse piraten vielen een Engels schip aan. De piratenkapitein heette Edward England. Edward was geen wrede piraat. Hij was juist heel aardig. Hij liet de bemanning van het schip zomaar gaan.
De piraten waren verbaasd. En kwaad! Nu mochten ze niemand een pak slaag geven! Voor straf voeren ze naar een onbewoond eiland. Daar lieten ze hun kapitein achter. Maar Edward was niet voor niets piraat. Hij bouwde een boot. Daarmee roeide hij naar het volgende eiland. Dat was wel bewoond. Maar hij moest er wel ver voor roeien. Bijna 1000 kilometer!

DE MEEST WAARDELOZE PIRAAT

Helaas maar waar. De meest waardeloze piraat was ook Edward England. Dat roeien was knap van hem. Maar als piraat was hij niks waard. Anders had hij die matrozen niet zomaar laten gaan. Edward England staat hierdoor bekend als: de meest waardeloze piraat.

De droom van een piraat

Piraten droomden van goud en zilver. Van parels en edelstenen. Ze pikten juwelen en geld. Maar niet alle schepen hadden dat aan boord. Veel schepen vervoerden suiker en tabak. Of specerijen. Dat zijn kruiden. Ook dat konden de piraten goed gebruiken. Ze namen het mee en verkochten het voor veel geld. Maar ze pikten nog veel meer. Was er eten aan boord? Ze namen het mee. Waren er medicijnen? Ze wilden het hebben. Ook touw en zeilen hadden ze graag. Piraten konden alles gebruiken.

Mooie verhalen!
Piraten kwamen vaak terug van hun reis met grote schatten. Om hun nek hing goud en zilver. Hun zakken zaten vol met geld en goudstukken. Ze vertelden over woeste gevechten. Ze riepen hoe dapper ze waren! De verhalen waren prachtig. Maar was het wel echt zo gegaan? Niemand weet het. Veel piratenverhalen zijn gewoon verzonnen!

DE ZUIDERZEEPIRATEN
Wij zijn de Zuiderzeepiraten.
Het roven kunnen wij niet laten.
Dus kapitein, kijk niet zo sip.
Geef hier je goud, je geld, je schip.
Verzet? Ha, ha. Die paar soldaten.
Wij zijn de Zuiderzeepiraten.

Van alles over piraten

Piraten vroeger

Piraten wilden snel rijk worden. Dat deden ze door een schip te beroven. Een schip werd gebruikt om spullen te vervoeren. Aan boord vond je dus van alles. De lading was vaak veel geld waard. De bemanning kon soms als slaaf worden verkocht. Dan kreeg je daar ook nog geld voor. Soms vielen piraten met een paar schepen tegelijk aan. Daar deed je als vrachtschip niets tegen.

VOLLE KRACHT ACHTERUIT!
ACHTERUIT? ...WAT...?

Piraten nu

Ook nu zijn er nog piraten. Maar elk schip heeft nu een radio. Daarmee kan het schip snel om hulp roepen. Schepen zijn nu ook beter en veiliger. En het is druk op zee. Een piraat wordt snel ontdekt. Voor piraten is dit dus geen fijne tijd.

Piratenlied

Over piraten kun je veel lezen. Er zijn ook liedjes over ze gemaakt. Hieronder staat er één. Het is al oud.

Al die willen te kaap'ren varen
Em B7 Em B7
AL DIE WIL-LEN TE KAA-P'REN VA-REN. MOE-TEN MANNEN MET
Em G
BAAR-DEN ZIJN. JAN, PIET, JO-RIS EN COR-NEEL.
Em B7 Em G
DIE HEB-BEN BAAR-DEN DIE HEBBEN BAAR-DEN. JAN, PIET, JO-RIS
Em B7 Em
EN COR-NEEL DIE HEBBEN BAARDEN. ZIJ VA-REN MEE.

DIT RAAD JE NOOIT!

1. Piraten zijn:

a. struikrovers
b. zeerovers
c. landrovers

2. Een echte piraat bedekt zijn oog met:

a. een ooglap
b. een pleister
c. een zonnebril

3. Op zijn hoofd heeft een piraat:

a. een pet met een klep
b. een bivakmuts
c. een bonte hoofddoek

WIL DE ECHTE PIRAAT OPSTAAN?

4. Hoe ziet een piratenvlag eruit?

a. Wit.
b. Elke piratenschip heeft zijn eigen vlag.
c. Er staat een altijd doodshoofd op.

Oplossing:

1. b. Piraten varen op zee. Ze beroven schepen.
2. a. Een piraat werd soms in zijn oog geprikt. Een ooglap liet zien hoe stoer je was. Je had een gevaarlijk gevecht overleefd!
3. c. Zo'n bonte doek stond stoer. En het was handig als je vocht. Dan had je geen last van wapperende haren. Want een echte piraat had lang haar.
4. b. Op de vlag stond vaak iets engs. Een doodshoofd of een zwaard. Soms stond er een zandloper op. Daaraan kon je zien dat je laatste uur had geslagen!

Wanneer leefden de meeste piraten?

Piraten zijn er altijd al geweest. Vanaf de tijd dat mensen boten maakten. Uit die eerste tijd weten we weinig. Er is niets over opgeschreven. De mensen wisten toen nog niet hoe ze moesten schrijven. De meeste verhalen over piraten komen uit 1200 tot 1800.

Op zee
Piraten voeren niet zomaar wat rond op zee. Welnee! Ze wisten precies waar veel schepen langs kwamen. Naar zo'n plek voeren ze. Daar wachtten ze. Ze wisten al welk schip er zou komen. En wanneer. Vaak wisten ze zelfs al wat er aan boord te vinden was. Want elk schip voer langs een vaste route. En naar een vaste haven. Elke piraat wist dat!

Raar maar waar

Een schip enteren was heel gevaarlijk. Vooral voor de piraten die het eerst aan boord klommen. De vijand schoot meteen terug. Daarom was er een regel. Wie het eerst aan boord klom, werd goed beloond. Hij mocht als eerste iets kiezen uit de buit. Meestal koos hij een wapen. Piraten waren gek op wapens.

Aan land

Piraten voeren niet alleen maar rond. Soms gingen ze een poosje aan land. Maar ze waren lang niet overal welkom. Vaak zochten ze een eiland op. Je had eilanden die alleen voor piraten waren. Daar woonden ze met hun vrienden. De piraten waren er de baas. In de haven knapten ze hun schip op. In de stad kochten ze eten. In de kroeg dronken ze rum. Ze gokten en dansten. Iedereen werd rijk van de piraten.

Onbewoond eiland

Schippers wilden dat het roven ophield. Daarom zochten soldaten naar de piraten. Piraten verstopten zich soms voor hen. Tussen de rotsen of in een baai. De kaarten waren toen nog niet zo goed. Veel eilanden stonden nog niet op de kaart. Op zo'n eiland voelden de piraten zich wel veilig.

Vuurtoren

Piraten sloegen hun slag soms ook vanaf het land. Ze verstopten zich op een eiland. Het liefst bij een gevaarlijke baai. Op de rotsen maakten ze een vuur. Soms bouwden ze er een nep-vuurtoren. Schippers dachten: daar is de haven! Ze stuurden hun schip erheen. Maar dan ging het mis. Het schip sloeg op de rotsen. De piraten kwamen er snel aan. Ze roofden het schip leeg, voor het zonk.

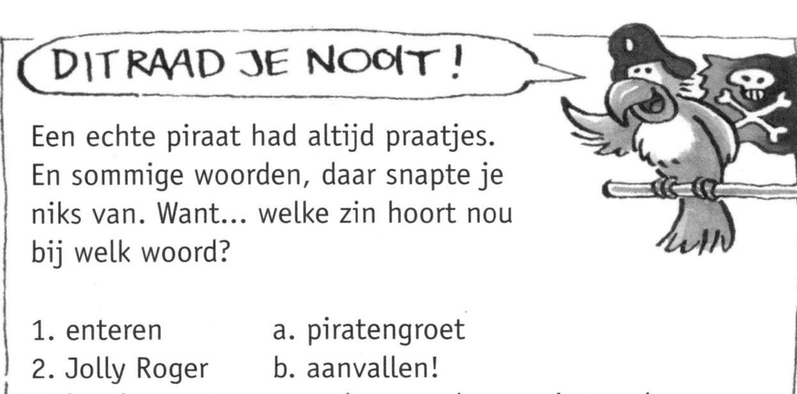

Een echte piraat had altijd praatjes. En sommige woorden, daar snapte je niks van. Want... welke zin hoort nou bij welk woord?

1. enteren	a. piratengroet
2. Jolly Roger	b. aanvallen!
3. kraaiennest	c. ander woord voor piratenvlag
4. tuig	d. uitkijkplaats hoog in de mast
5. ahoy!	e. touwen en zeilen van een schip

DE ZUIDERZEEPIRATEN

Wij zijn de Zuiderzeepiraten.
De kustwacht is in alle staten.
Wij vonden niet het buskruit uit.
Maar vangen steeds een vette buit.
Soms missen we wat ledematen.
Wij zijn de Zuiderzeepiraten.

Oplossing: 1 b, 2 c, 3 d, 4 e, 5 a.

Vlaggen en vechten

Laat zien wie je bent!

Elk schip was op zijn hoede voor piraten. Zagen ze in de verte een vreemd schip? Dan werden de matrozen al gauw bang. Waren het soms piraten? Hoe kwam je daar achter?
Er was een manier voor. De kapitein liet het kanon afvuren. Dat betekende: 'Laat zien wie je bent. Anders vallen wij aan.' Het vreemde schip moest nu zijn vlag hijsen. Aan de vlag kon je zien wie het was.

Bedrog

Maar piraten waren slim. Ze hesen soms een gewone vlag. Ze hadden er genoeg gepikt! De kapitein van het andere schip dacht nu dat alles veilig was. Hij liet rustig doorvaren. Pas op het laatste moment hesen de piraten gauw hun eigen vlag. En dan was het te laat. Het schip van de kapitein liep in de val!

Vlaggen-parade

Elk piratenschip had zijn eigen vlag. De vlaggen waren meestal zwart of rood. Piraten met een rode vlag waren het gevaarlijkst. Rood was de kleur van bloed. Een rode vlag betekende: ontsnappen kan niet meer!

Jolly Roger

De piratenvlag heette: Jolly Roger. Niemand weet precies waarom. Misschien komt de naam uit het Frans. Jolly komt dan van joli. Dat is Frans voor: mooi. Roger komt van rouge. Dat is Frans voor: rood. Anderen zeggen: het is gewoon een naam. En hij betekent: jolige (= vrolijke) Roger!

DE MOOISTE PIRATENVLAG

Piraten uit China hadden erg mooie vlaggen. In 1850 voer er bij China een hele vloot met piraten rond. De vloot bestond uit verschillende groepen. Elke groep had zijn eigen kleur vlag.

Ik daag je uit!

'Mijn vlag is de mooiste,' riep piraat Jim.
'Nietes. Mijn vlag is mooier,' schreeuwde piraat Joe.
Wie tekent op een groot vel papier een vlag die nog mooier is?
Jij?

Vechten! Met welk wapen?

Elke piraat had zijn eigen wapen. Vaak was dat een mes of een zwaard. Soms een pistool. Een piraat gebruikte elk wapen dat hij te pakken kreeg. Het liefst vocht een piraat met een kortelas. Dan was een kort, scherp zwaard.

Raar maar waar
Waarom vocht een piraat zo graag met een kortelas?
Het was scherper dan een mes. En korter dan een zwaard.
Je kon er snel mee zwaaien. Je kon er goed mee steken.
Maar er was meer. Op een schip waren veel touwen.
Met een zwaard raakte je daar soms in verward.
Met een kortelas had je daar veel minder last van!

Schieten en slaan

Een pistool zag er in 1600 en 1700 heel anders uit dan nu. De loop was lang. Je kon er slecht mee richten. Na één schot moest er weer een kogel in. Dat was niet handig. Daarom vochten piraten liever met hun mes of kortelas.
Soms raakten ze hun mes kwijt. Dan sloegen ze wild om zich heen. En ze schopten. En... ze beten!

Vuur en rook

Teer en olie branden erg goed. Je kon teer met olie mengen. Dat brandde nog veel beter! Als het brandde, schoot je met een soort katapult de vuurbal naar een schip. Het heette: Grieks vuur. Piraten gebruikten soms Grieks vuur. Maar de vijand gebruikte het ook!

Buskruit

Vanaf 1400 werd er ook buskruit gebruikt. Met buskruit kon je een kanon afschieten. Dat ging zo. Je deed het buskruit in de loop van een kanon. Je deed er een lont bij. Dan stopte je een kogel van steen in de loop. Je stak de lont aan. Het buskruit gaf een knal. En met een klap vloog de kogel naar de vijand.

Raar maar waar
Vanaf 1700 ging schieten met een kanon bijna altijd goed. Maar voor die tijd ging het vaak mis. De kogel schoot niet altijd weg. Wat gebeurde er dan? Het hele kanon knalde uit elkaar!
HEE! EEN NIEUW SOORT KOGEL?

Geen dokter

Vechten was erg gevaarlijk. Je kon gewond raken. Aan boord was geen dokter. Er waren ook geen pillen of drankjes. Een wond kon gaan ontsteken. En dan liep het vaak niet goed met je af!

Een oog

Had de vijand je oog geraakt? Dan was dat oog vaak voorgoed verloren. Je kon er niets meer mee zien. Er zat maar één ding op. En dat was een lap. Veel piraten droegen een lap voor hun oog.

Een hand

Een zwaard was vlijmscherp. Bij een gevecht zwaaide en zwiepte het rond. Je kreeg vaak zomaar een jaap. Soms had je erge pech. Dan werd je hand eraf gehakt. Zonder hand kon je niet goed meer vechten. Wat nu?
Eerst moest de wond genezen. Dan zochten de piraten een stok of een haak. Die bonden ze aan de arm. Met zo'n haak zag de piraat er nog enger uit!

Peter Pan komt uit een sprookje. Hij krijgt te maken met piraten. Hun kapitein heeft aan één arm een haak. Hij heet dan ook: Kapitein Haak.

Een been

Soms raakte een piraat aan zijn been gewond. Dat was niet best. Want dan kon hij niet meer lopen. Soms werd de wond niet beter. Dan kon je nog maar één ding doen. Het been moest eraf!

Raar maar waar

Een gewonde piraat. Zijn been werd niet beter. De piraat werd zieker en zieker. Er moest iets gebeuren. Iedereen wist het. Het been moest eraf. Maar hoe? Met de zaag. En wie moest het doen? De timmerman! Waarom? Die was handig met de zaag!

Wat was het waard?

Een piraat zonder arm of been kreeg geld van zijn kapitein. Om het een beetje goed te maken. Elk deel van je lichaam was geld waard. Hoeveel?
Een vinger was net zoveel waard als een oog. Voor een arm kreeg je meer geld. Voor een been nog meer. Voor je rechterarm kreeg je meer geld dan voor je linkerarm. En voor je rechterbeen meer dan voor je linkerbeen. Was je linkshandig? Dubbel pech!

Hoe ziet een piraat eruit?

Een echte piraat ziet er zo uit. Maar wel met een vrolijk kleurtje. Wie durft het aan? Wie kopieert deze tekening en maakt het mooiste piratenmasker?
Jij?

Ooglap en litteken

Een piraat vocht van man tegen man. Een mes of een zwaard kon je gemeen raken. Hier een snee. Daar een jaap. Dat was heel gewoon. Piraten zaten dan ook onder de littekens. Als ze een oog misten, droegen ze een ooglap. Daarmee zagen ze er nog woester uit.

Oorbel

Piraten maakten van alles buit. Het liefst pikten ze goud en zilver. Dat droegen ze om hun hals. Of om hun middel. Of door hun oor. Waarom? Ze vonden het mooi staan. Maar ze vertrouwden elkaar ook niet. Wat je verborg, kon een ander van je stelen. Maar wat je droeg, dat kon niemand van je afpakken. Hoewel...

Lang haar

Op zee was geen kapper. Soms knipten piraten elkaars haar. Maar meestal lieten ze hun haar lang groeien. In die tijd hadden mannen vaak lang haar. Maar alleen rijke mannen. Want lang haar was een teken van rijkdom. Je kon eraan zien hoe voornaam iemand was. Piraten trokken zich daar niks van aan. Het kon ze niet schelen hoe het hoorde. Of misschien vonden ze zichzelf ook wel rijk en voornaam. Want bijna elke piraat had lang haar!

DIT RAAD JE NOOIT!

De taal van de piraten.
Je moet het maar snappen.
Bij elk woord hoort een zin.

1. aanmonsteren
2. hondenwacht
3. krengen
4. bakboord
5. zeeschuimer

a. midden in de nacht op wacht staan.
b. ander woord voor zeeman.
c. aan boord van een schip gaan om er te werken.
d. de buitenkant van het schip schoonmaken.
e. de linkerkant van een schip.

DE ZUIDERZEEPIRATEN
Wij zijn de Zuiderzeepiraten.
Wij roven losgoed, balen, vaten.
De scheepsbeschuiten zijn wij zat.
Beloon ons met een grote schat.
Met Spaanse matten en dukaten.
Wij zijn de Zuiderzeepiraten.

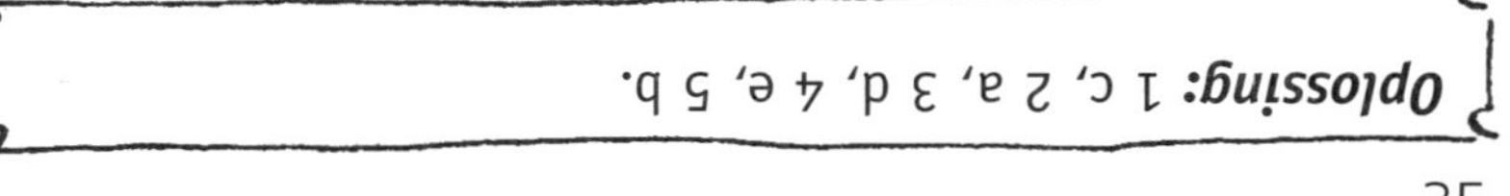

Bekende piraten

Kapitein Haak

Deze piraat is bekend uit een sprookje. Het gaat over Peter Pan. Peter Pan was een jongen die kon vliegen. Hij vloog naar het land van de piraten. Daar vocht hij met de piraten. Hun kapitein zag er eng uit. Aan zijn arm had hij een haak. Verder was het een heel domme piraat. En hij heeft niet eens echt bestaan!

Roodbaard

Roodbaard was niet één piraat, het waren er twee! Het waren broers en ze heetten Barbarossa. Dat betekent: rode baard. Van 1500 tot 1518 enterden ze heel wat schepen. De bemanning verkochten ze als slaaf.

DE MEEST WOESTE PIRAAT

Zwartbaard kon je maar beter niet tegenkomen. Zelfs zijn bemanning was als de dood voor hem. Manieren had hij niet. En hij zag er vreselijk uit. Zijn baard en haren waren gitzwart. Hij kamde ze nooit. Bij een aanval stak hij lonten in zijn haar. Die stak hij aan. De rook kwam dus (bijna) uit zijn oren!

In 1716 kaapte Zwartbaard zijn eerste schip. In 1718 werd hij door soldaten gepakt. Hij werd onthoofd. Zijn woeste kop werd voor op het schip gehangen.

Anne Bonny

Het was 1719. Anne Bonny was getrouwd met een zeeman. Op een reis ontmoette ze de piraat Jack Rackham. Ze werd verliefd op hem en ging met hem mee aan boord. Maar... vrouwen mochten niet mee op een piratenschip. Daarom droeg Anne altijd mannenkleren.

Mary Read

Anne en Jack veroverden veel schepen. Op één van die schepen voer Mary Read mee. Ook zij droeg mannenkleren. Ze werd piraat op Annes schip. Anne dacht dat Mary een man was en werd verliefd. Toen vertelde Mary dat ze een vrouw was.

Anne en Mary werden de beste maatjes. Ze vochten en plunderden. Ten slotte werden ze gevangen genomen. Alle piraten van hun schip werden ter dood veroordeeld. Maar Anne en Mary niet. Hoe dat kwam? Ze kregen allebei een baby! En volgens de Engelse wet mocht een vrouw die een baby kreeg, niet worden gedood.

DE MEEST LAFFE PIRAAT

Jack Rackham was de kapitein op het schip van Anne Bonny en Mary Read. In 1720 vielen soldaten hun schip aan. Jack verschool zich in het ruim. Samen met de andere mannen dronk hij rum. Het vechten liet hij aan Anne en Mary over. Die konden het niet winnen van de soldaten. En dat was het eind van hun piratenavontuur.

Piraat of held?

Piet Hein was een Nederlandse piraat. Hoewel... piraat? Het was 1629. Nederland was in oorlog met Spanje. Piet Hein was admiraal. Dat is een soort generaal, maar dan op zee.
Piet Hein stond aan het hoofd van een grote groep schepen: een vloot. Hij vocht tegen Spaanse schepen. Maar niet alleen tegen oorlogsschepen. Want van de stadhouder (zo heette de baas van Nederland) mocht hij alle schepen van de vijand beroven.

De Spaanse Vloot

Piet Hein voer naar het eiland Cuba. Cuba hoorde bij Spanje. Piet Hein ging erheen met 31 schepen. Daarop voeren 4.000 mannen mee. In Cuba wachtten ze op de Spaanse vloot.
Maar die kwam niet. De vloot wist namelijk dat Piet Hein op de loer lag. Dus de schepen bleven veilig in de haven liggen!

De Zilvervloot

Er was nog een tweede Spaanse vloot. Die heette: de Nieuw-Spanje-vloot. En die vloot wist van niks!
Ze voeren met twaalf schepen. Elk schip zat vol met Spaanse matten. Een mat was een geldstuk. Die werden op Cuba gemaakt. Met schepen werden de matten naar Spanje gebracht.
Piet Hein veroverde elf van de twaalf schepen. Alle Spaanse matten waren voor hem! Hij was een held. Er is zelfs een lied over hem gemaakt.

de Zilvervloot
HEB JE WEL GEHOORD VAN DE ZIL - VER-EN VLOOT, DE
ZIL-VEREN VLOOT VAN SPAN-JE? DIE HAD ER VEEL SPAAN-SE
MAT-TEN AAN BOORD EN AP- PELTJES VAN O - RAN-JE! PIET
HEIN, PIET HEIN, PIET HEIN, ZIJN NAAM IS KLEIN; ZIJN
DA-DEN BEN-NEN GROOT, ZIJN DADEN BENNEN GROOT, HIJ HEEFT GE-
WON-NEN DE ZIL-VER - VLOOT, HIJ HEEFT GE - WON- NEN, GE-
WON - NEN DE ZIL - VER - VLOOT!

Jan Pieter Heije (1809-1876)

Beloning

De buit van de Zilvervloot was groot. Meer dan twaalf miljoen Spaanse matten. Piet Hein verwachtte dus een flinke beloning. Maar iedereen moest wat van het geld hebben. Het schip werd ervan betaald. De bemanning kreeg loon. De baas van het schip wilde geld zien. En de stadhouder ook. Er bleef steeds minder over. Wat kreeg Piet Hein? 7.000 matten. En een paar kleine cadeautjes.

IS DAT ALLES?
DE ZUIDERZEEPIRATEN
Wij zijn de Zuiderzeepiraten.
Verzet? Helaas, dat zal niet baten.
Geef ons je kortelas, je mes.
Je laatste geld, een volle fles.
Of anders zit je schip vol gaten.
Wij zijn de Zuiderzeepiraten.

Schatten

Een vette buit

Goud, zilver en edelstenen. Dat konden de piraten meteen verdelen. Was er iets anders aan boord? Dan werd dat verkocht in een haven. Het geld dat de piraten ervoor kregen, werd verdeeld.

De buit verdelen

Hoe werd de buit verdeeld? Heel eerlijk! De kapitein kreeg het meest. De rest werd onder de bemanning verdeeld. De timmerman kreeg soms minder dan de rest. Als hij zijn leven niet had gewaagd. En jonge piraatjes kregen haast niks. Die moesten het vak nog leren.

Vals

De buit werd pas verdeeld als het schip in de haven lag. Maar soms stopte een schip voor die tijd. Bij een eiland bijvoorbeeld. De piraten gingen van boord om water te halen. Of om vruchten te zoeken. Een enkele keer ging dat mis. Dan voer de kapitein stiekem weg. Zo was de buit lekker voor hem alleen!

DE GROOTSTE BUIT

Wanneer? - In 1696.
Hoeveel? - Een paar honderd miljoen euro!
Wie? - De Engelse piraat Henry Avery.
Hoe? - Hij beroofde een schip dat van India naar Arabië voer. Het schip zat vol met schatten.
Henry betaalde eerst zijn mannen. De rest van het geld joeg hij erdoor. Toen hij stierf, was het allemaal op. Hij was zo arm, dat er zelfs geen geld was om hem in een kist te begraven!

Een leeg schip

Soms voer een schip leeg naar huis. Piraten waren daar niet blij mee. Dan was alle moeite voor niks geweest. Dus dan beroofden ze de bemanning maar. Hier dat geld! En die wapens! En je sieraden! Ook die buit moest eerlijk worden verdeeld. Maar ringen en edelstenen... Die stopten de piraten snel in hun eigen zak!

ECHT GEBEURD...

In 1721 werd er een schip beroofd. Het lag vol diamanten. Elke piraat kreeg er 42. Eén van de piraten kreeg één heel grote diamant in plaats van 42 kleintjes. De grote diamant was veel meer waard. Maar dat wist hij niet. Hij werd kwaad. Hij wilde dezelfde beloning als de andere piraten! Het verhaal gaat dat hij een hamer pakte en de dure diamant in 100 stukken sloeg. Maar dat kan niet echt, want een diamant is zo hard, dat je hem niet kunt stukslaan. Dus misschien waren de piraten wel bedrogen en waren de diamanten niet echt... ?

Begraven of niet?

In veel verhalen lees je het. Piratenschat begraven! In het echt gebeurde dat maar heel weinig. De meeste piraten gaven hun geld meteen uit. Aan drinken en aan gokken. Aan feest vieren. De ene dag waren ze rijk. De volgende dag hadden ze niets meer.

Schatgraven

Toch waren er wel piraten die een schat begroeven. William Kidd begroef in 1700 een grote schat op een klein eiland. En hij was niet eens een echte piraat! Kidd was gewoon kapitein. Maar zijn mannen waren boeven. Ze dwongen hem piraat te worden. Hij beroofde een schip en begroef de buit. Maar hij had erg veel pech. Toen hij van de reis terugkwam, werd hij gepakt. De schat van Kidd is later teruggevonden. Hoe wist men waar de schat lag? Simpel. William had een kruisje op de kaart gezet.

Ik daag je uit!
Alleen een echte piraat kon een schatkaart maken. Of niet soms...? Laat maar eens zien dat jij het ook kunt!

Raar maar waar

Er zijn haast geen schatten van piraten gevonden. Toch waren er wel mensen die schatten begroeven. Wie dan? Mensen die bang waren voor piraten! Want piraten kwamen ook naar plaatsen langs de kust.
Toen de vikingen rond het jaar 1000 de Nederlandse kusten overvielen, begroeven veel mensen hun geld. En hun goud. En hun sieraden. Zo konden de vikingen er niet bij!

Schateiland

In 1883 schreef Robert Louis Stevenson een verhaal. Het ging over piraten en hun schat. Het verhaal werd al snel beroemd. Er is zelfs een film van gemaakt. Het heet: Schateiland.

Bill Bones

Jim was zestien jaar. Hij werkte in de herberg van zijn moeder. Op een dag kwam er een rare gast. Over zijn gezicht liep een groot litteken. Hij had een lap voor één oog. Hij kwam nooit beneden. Eten deed hij op zijn kamer.
Op een keer bracht Jim hem zijn eten.
'Kom binnen,' zei de man. 'Jij lijkt me een slimme jongen. Ik moet je wat zeggen. Mijn naam is Bill Bones. Hier, pak aan.'
Hij gaf Jim een kaart. 'Bewaar de kaart goed. Gebruik hem als er met mij iets gebeurt. En pas op voor de man met één been.'

De man met één been

Bill werd ziek. En op een dag ging hij dood. Die dag keek Jim uit het raam. Hij zag een man. De man kwam naar de herberg. Hij zag er dreigend uit. En... hij had maar één been.
Jim werd bang. Hij greep de kaart en rende weg. Hij ging naar zijn vriend: dokter Livesly.

Kapitein Flint

Jim vertelde alles aan de dokter. En hij liet de kaart zien.
'Het is een schatkaart,' riep de dokter. 'De schat ligt op een eiland. Het is de schat van kapitein Flint.'

'Wie is kapitein Flint?' vroeg Jim.
'Kapitein Flint was een piraat. Hij heeft veel geroofd. Maar hij wilde de buit niet delen. Daarom begroef hij hem. De andere piraten werden kwaad. Ze proberen nog steeds om de schat te vinden. Maar niemand weet waar hij ligt.'
'Wij nu wel!' zei Jim.
'Ja,' zei de dokter. 'Kom, dan gaan we op zoek. Die schat is voor ons!'

Een schip

De dokter en Jim gingen naar de haven. Ze huurden een schip en matrozen. Het waren rare mannen. Een beetje eng ook. De één had een lap voor zijn oog. De ander had een rare snee op zijn wang. De kok was pas echt eng. Hij heette John Silver. En hij had maar één been.

De reis ging lekker snel. Op een nacht hoorde Jim een gesprek. John Silver zei: 'Op het eiland slaan we toe. We doden Jim en de dokter. En ook de kapitein. We pikken de schatkaart. Dan is de schat voor ons.'
Jim ging naar de dokter en de kapitein. Hij vertelde wat hij had gehoord.
De kapitein begreep meteen wat er aan de hand was.

Het eiland

Op het eiland ging iedereen van boord. John wilde Jim op het eiland te pakken nemen. Maar Jim was slim. Hij rende de bosjes in. Hij bleef rennen. En... hij had de kaart.

Benn Gun

Midden op het eiland kwam Jim een man tegen.
'Help me,' zei Jim. 'Er zijn piraten.'
De man zei: 'Ik ben ook een piraat. Ik heet Benn Gun. Ik kende kapitein Flint goed. Samen begroeven wij de schat. Maar toen ging Flint weg. Mij liet hij achter. Weet je wat? Ik bezorg je de schat. Maar dan moet jij mij meenemen. Ik wil van dit eiland af.'

Een hut

'Ik heb een hut gemaakt. Daar kun je schuilen,' zei Benn Gun. Samen slopen ze door de bosjes. Daar kwamen ze de kapitein en de dokter tegen. Die waren ook gevlucht voor John Silver. Benn Gun bracht iedereen naar zijn hut

Gevangen

Die avond zochten Benn en Jim eten.
Jim was als eerste bij de hut terug. 'Dokter! Kapitein!' riep hij.
'Hebbes!' Het was John Silver. Hij had de kapitein en de dokter gevangen. En nu Jim dus ook.
'Hier met die kaart,' riep John Silver.
Er zat niets anders op. Jim moest de kaart aan hem geven.

De schat

'Jullie graven de schat voor mij op,' zei John Silver. Samen gingen ze naar de plek waar de schat lag.
Jim, de dokter en de kapitein. Ze begonnen te graven.
Maar... de schat was weg!
'Sta of ik schiet!' Het was Benn Gun. Hij hield de piraten onder schot. 'Ik heb de schat allang opgegraven. Hij is van mij. En nu gaan we naar huis.'

Naar huis

Ze gingen naar huis terug. Jim, de dokter, de kapitein en Benn Gun. In het ruim lag de schat. En John Silver. Die zat daar gevangen. De andere piraten bleven op het eiland. De reis ging snel. Maar toen ze aan land kwamen... was John Silver weg. Hij was ontsnapt. En een deel van de buit was ook weg.
'Nou ja, we hebben de rest nog,' zei de dokter.
En die deelden ze eerlijk met elkaar!

Schateiland is een bekend verhaal. Er zijn meer piratenverhalen. En er worden nog steeds verhalen over piraten geschreven. Maar niemand schrijft zo mooi als Robert Louis Stevenson. Jij misschien...?

Geschiedenis van piraten

De eerste piraten

4600 jaar geleden voeren mensen voor het eerst over zee. Al snel daarna kwamen de eerste piraten. De eerste zeelui hadden nog niet van die goede boten. Ze konden er niet mee over open zee varen. Daarom bleven ze dicht bij de kust. De eerste piraten hadden het dus gemakkelijk. Ze gingen voor de kust voor anker. Daar wachtten ze gewoon tot er een schip voorbij kwam.

Piraten uit Rome

Ruim 2000 jaar geleden was Rome een grote stad. Schepen met graan en geld voeren af en aan. Dat was natuurlijk te gek voor piraten! Ze beroofden de schepen. Het graan verkochten ze. De bemanning namen ze gevangen. Die verkochten ze ook. Als slaaf.

ECHT GEBEURD...

Julius Caesar was een Romein. Hij werd later heel beroemd, want hij veroverde veel landen. Ook het gebied waar nu Nederland ligt. 75 jaar voor het jaar 0, was Julius nog een student. Op een dag voer hij met een schip mee. Het schip werd beroofd door piraten. Julius werd gevangen genomen. De piraten wilden geld voor hem hebben. Ze stuurden een brief naar Rome. Daarin vroegen ze om het geld. Maar Julius werd kwaad. Hij vond dat de piraten veel te weinig geld vroegen. Hij was toch wel meer waard! Toen hij weer vrij was, nam hij wraak. Hij versloeg de piraten en nam ze gevangen.

WAÀT? GA IK IN DE UITVERKOOP OF ZO?

De vikingen

Vanaf 800 kwamen de vikingen met hun boten uit het noorden. Ze overvielen veel schepen. De bemanning namen ze gevangen. Die moesten als slaaf op de vikingboten roeien. Maar de vikingen wilden al snel meer. In steden en dorpen was ook veel te halen. En in kloosters helemaal! Daarom vielen de vikingen ook plaatsen langs de kust aan.
Vikingschepen hadden een platte bodem. Je kon ze goed op het strand trekken. Iedereen was bang voor de vikingen. Ze zagen er eng uit. En hun schepen ook!

Vuren

'De vikingen komen!' Op het strand stonden mannen op wacht. Zagen ze de boten van de vikingen? Dan maakten ze gauw een vuur op het strand. Verderop zagen mensen dat vuur. Ze staken ook een vuur aan. Verder weg, zagen de mensen dát vuur weer. Zo waarschuwde het vuur iedereen langs de kust. De boodschap ging als een lopend vuurtje.

Barbarijse zeerovers
Dat waren Arabieren. Rond 1500 voeren ze langs de kust van Noord-Afrika. Ze beroofden veel schepen. De bemanning moest als slaaf voor ze werken. Slaven kregen haast geen eten. Ze kregen wel veel slaag. Deze zeerovers waren dus echt de schrik van de zee!

Raar maar waar

Twee beruchte piraten waren de broers Roodbaard. Na 18 jaar roven werden ze gevangen genomen. Eén van de broers werd gedood. En de ander? Die werd de baas over een groot stuk land langs de kust van Algerije!

De boekaniers

Tussen Noord-Amerika en Zuid-Amerika liggen eilanden. Eén van die eilanden heet nu Cuba. Daar woonden in 1600 de boekaniers.
Ze leefden van de jacht. Het vlees roosterden ze in een soort huisje. Daarna verkochten ze het aan andere landen. De boekaniers hebben dus eigenlijk de barbecue uitgevonden!

De boekaniers worden piraat

Cuba was van de Spanjaarden. Ze hadden een hekel aan die ruige boekaniers. Maar hoe kreeg je ze weg?
De Spanjaarden bedachten een list. Ze schoten alle wilde dieren op het eiland dood. Ze dachten dat de boekaniers dan wel een ander eiland zouden opzoeken om te gaan jagen. Maar de boekaniers deden iets heel anders. Ze werden piraat!

Zilvervloot

De Spanjaarden haalden veel goud en zilver uit Amerika. Ze lieten er geldstukken van maken: de Spaanse matten. Die gingen met schepen naar Spanje. De boekaniers vielen de Spaanse schepen vaak aan. Net als Piet Hein.

Kapers

Het was 1243. Engeland was in oorlog met Frankrijk. Tussen die twee landen lag een zee: Het Kanaal. Een oorlog op zee was lastig. Want schepen waren duur en de oorlog duurde lang.
De Engelse koning raakte door zijn geld heen. Toen bedacht hij een list. Iedereen met een schip kon een brief krijgen. In de brief stond: 'Ik vind het goed dat je een Frans schip aanvalt. Je mag roven zolang de oorlog duurt.'
Zo'n brief heette een kaperbrief. Veel zeelui vroegen om een kaperbrief. Zo konden ze piraat worden en nooit straf krijgen. Want... de koning vond het goed!

Buit

Wie een kaperbrief had, heette kaper. Piet Hein was een bekende Nederlandse kaper. Kapers mochten alleen schepen van de vijand aanvallen. Een deel van de buit moesten ze aan de koning geven. Dat was slim van de koning. Hij hoefde geen soldaten te huren, de schepen werden aangevallen én hij kreeg nog een deel van de buit ook. Maar de kapers waren ook slim. Ze hielden de buit meestal zelf. En vijand of niet, ze beroofden iedereen! Ook als de oorlog allang voorbij was!

Beroep: Piraat

Hoe werd je piraat?
Piraat worden kon op drie manieren.

1. Je werd matroos op een piratenschip. Je moest dan eerst naar een piratenhaven. Zo'n haven lag vaak op een eiland. Bij Amerika lagen pirateneilanden. Bij Afrika lagen ze ook. Je begon als jongste piraat. Deed je je werk goed, dan werd je 'gewoon' piraat.

2. Je schip werd overvallen door piraten. Vaak kon je dan kiezen. Nou ja, kiezen... Je ging overboord of je deed mee met de piraten. Veel matrozen wilden wel meedoen. Want het leven op een gewoon schip was vaak geen pretje. Piraat zijn, leek een stuk leuker.

Wat gebeurde er met de kapitein van het schip? Daarover beslisten de matrozen en de piraten samen. Was hij een goede kapitein? Dan werd hij goed behandeld. Was hij een slechte kapitein? Dan ging hij overboord!

3. Je kocht een kaperbrief. Veel eerlijke schippers kochten zo'n brief. Hadden ze één keer een schip beroofd, dan bleven ze vaak kapen.

De baas aan boord

Piraten lieten zich door niemand iets vertellen. Ook niet door hun kapitein. De piraten kozen hun kapitein vaak zelf. Ze kozen de piraat die ze het beste vonden. Maar de kapitein moest niks verkeerds doen. Want dan kozen de piraten weer een ander.

Stemmen

Soms moesten piraten een moeilijke beslissing nemen. Dan werd er gestemd. Bijvoorbeeld over de koers die ze gingen varen. Of over welk schip ze gingen beroven. Over wat ze met de matrozen van dat schip zouden doen. Iedereen mocht zeggen wat hij vond. De meeste stemmen golden.

De piratenwet

Elk piratenschip had eigen regels. De regels heetten: de piratenwet. De wet werd opgeschreven in het logboek. In de piratenwet stond hoe de buit werd verdeeld. Een piraat die zich niet aan de wet hield, kreeg straf. Die straf stond ook in de piratenwet.

Piratenwet

1. Iedereen mag meestemmen over belangrijke zaken.
2. Iedereen krijgt evenveel eten en drinken.
3. Iedereen maakt elke dag zijn wapens schoon.
4. De buit wordt eerlijk verdeeld in aandelen.
   - De kapitein krijgt 1½ aandeel
   - De boots en de timmerman krijgen 1¼ aandeel.
   - De jongste piraten krijgen ¾ aandeel.
   - Alle anderen krijgen 1 aandeel
5. Een piraat mag niet van een andere piraat stelen.

Nog geen kruimel brood.

6. In het ruim mag niemand zijn pistool afvuren.

7. Niemand mag in het ruim rondlopen met een kaars die brandt.

8. Wie een arm of been verliest, krijgt geld. Wie een vinger of een oog verliest, krijgt ook geld, maar niet zoveel.

9. Niemand mag piraat worden op een ander schip.

10. Vrouwen en kinderen mogen niet aan boord komen.

11. Wie zich niet aan deze wet houdt, krijgt straf. Hij krijgt met de zweep of hij wordt gedood. Of hij wordt op een eiland achtergelaten.

12. Wie wordt achtergelaten, krijgt één fles drinkwater mee en een pistool.

Piratenschip

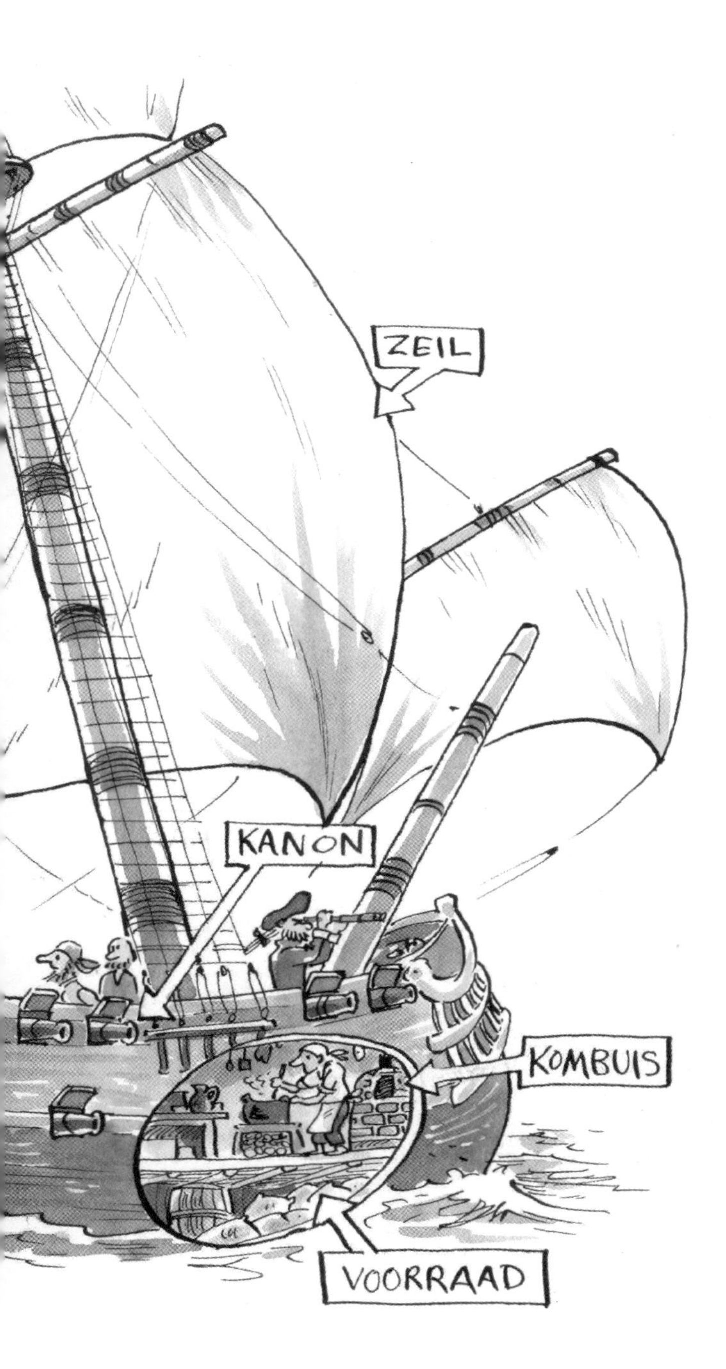
ZEIL
KANON
KOMBUIS
VOORRAAD

Hoe snel ging het schip?
Een schip had geen kilometerteller. De snelheid op zee werd gemeten in knopen of zeemijlen.
Eén piraat gooide een plank overboord. Aan de plank zat een touw. In dat touw zaten knopen. De piraat hield het touw vast. Het schip voer door. De afstand tot de plank werd steeds groter. De piraat liet het touw door zijn handen glijden. Hij telde de knopen. Een andere piraat keerde een zandloper om. Hij riep: 'Stop!' als het zand erdoor was gelopen. De eerste piraat had bijvoorbeeld vier knopen gevoeld. Het schip voer dan met een snelheid van 4 knopen. Oftewel: 4 zeemijl.

Ik daag je uit!

Wij meten onze snelheid met kilometertellers. Maar zo'n touw met knopen was toch ook wel leuk. Ook nu zou je dat kunnen doen. Maak een plank met daaraan een lang touw met knopen. Leg de plank neer en fiets snel weg. Laat de knopen door je handen glijden. Een vriend met een stopwatch meet de tijd. Hoe ver kom je in 10 seconden?

Raar maar waar

Elk schip had een logboek. Ook een piratenschip! In het logboek stond wat de piraten deden. Hoe snel ze voeren. Welke koers ze hielden. Waar ze aan land gingen.
Hoe komt een logboek aan zijn naam? De plank waarmee je kon meten hoe snel je ging, heette... een log!

Plassen aan boord

Op bladzijde 62 en 63 is een piratenschip getekend.
Maar er mist iets. Wat? Een wc!
Piraten plasten gewoon over de reling. Maar als het stormde, ging dat soms mis. De piraat sloeg dan wel eens overboord. Daarom was er op elk schip een plasgoot. Die liep langs de zijkant van het schip. Je plaste in de goot. Via de goot liep alles in zee. Wie moest plassen stond veilig achter de reling van het schip. Je kon dus niet overboord slaan.
Om te poepen waren er emmers. En wie die moest legen...? Vast wel weer de jongste piraatjes!

Touwen

Touwen waren gemaakt van een plant, hennep. Ze werden overal voor gebruikt. Als touwladder, anders kon je niet in de mast klimmen. Of om de zeilen mee omhoog te hijsen. Je kon er het schip mee aanmeren en er spullen mee aan boord hijsen. De kanonnen werden met touw vastgezet. Touw was dus heel belangrijk aan boord.

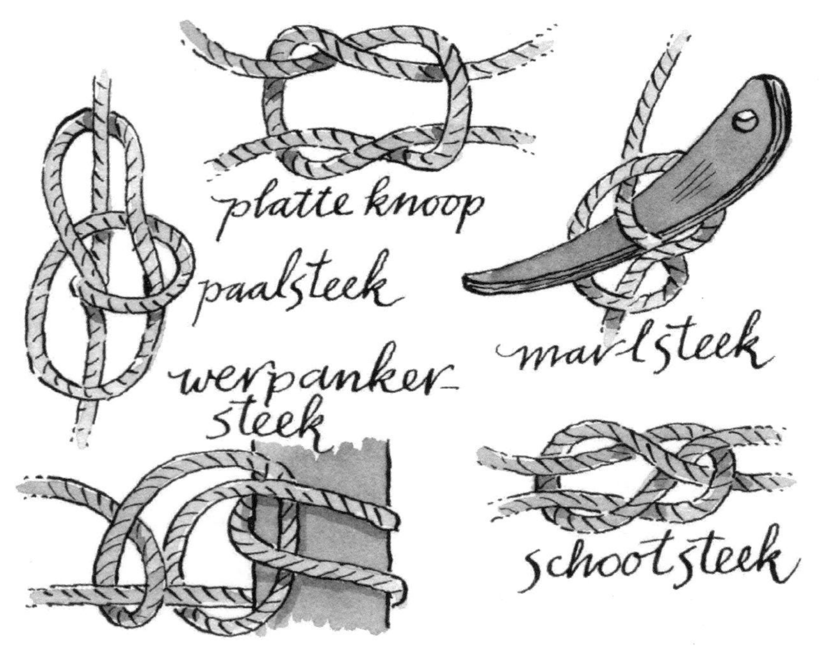

Onderhoud

Elk schip had onderhoud nodig. Ook een piratenschip. Het touw raakte versleten. Het zeil ging stuk. Bij het vechten werd geschoten. Er kwam dus wel eens een gat in de romp. Dat moest dan worden gemaakt.
De buitenkant van het schip werd ook vies. Er kwam zeewier op en zeepokken. Dat zijn een soort schelpen. Al die troep moest van het schip af.

Krengen

Het schip schoonmaken, kon niet in de haven. Want daar werd op piraten geloerd. Maar het schip moest wel droog liggen. Anders kon je niet bij de romp.
Piraten voeren eerst naar een klein eiland. Het schip werd met vloed naar de kust gevaren. De lading werd uit het ruim gehaald. Bij eb lag het schip droog en op zijn zij. De piraten konden bij de romp. Zeewier en zeepokken werden eraf geschraapt. Dat heette krengen.

Na het krengen werd elk gat met planken dichtgemaakt. Ten slotte werd de romp met teer ingesmeerd. Als de piraten klaar waren, kon het schip verder varen.

WIE HEEFT ER NOG EEN SCHUURSPONSJE?

Het schip maakt water

'Help! Het schip maakt water!' Als een piraat dat riep, was het niet best. 'Het schip maakt water' betekende dat er water IN het schip liep. Dat kon, als er een gat in de wand zat. Of als het erg stormde. Dan sloegen de golven over het dek heen. Het water kon door de spleten door het dek heen zakken. Het liep zo het schip in. En dan moesten de piraten meteen in actie komen!

Met een bakje en een teil water kun je zien hoe snel een schip zonk. Probeer het zelf! Een bakje stelt het schip voor. Is het leeg, dan blijft het drijven. Met vracht erin, ligt het schip een stuk lager. Nog meer vracht en het schip zal zinken. Het is te zwaar beladen! Wanneer zinkt jouw schip?

Hozen

Water in het schip? De piraten moesten snel hozen. Hozen is een ander woord voor: water uit een schip halen. De jongste piraten gingen naar beneden. Want diep in het schip lag het meeste water. Ze stonden er tot hun knieën in. En het water kwam snel hoger. Ze schepten het water in emmers. Die gaven ze door aan piraten op de trap. Die gaven de emmers weer door aan piraten aan dek. En die gooiden het water overboord.

Emmer overboord

Soms was een jong piraatje nog niet zo handig. Hij liet de emmer overboord vallen. Dan zwaaide er wat! En niet alleen omdat het schip een emmer kwijt was.
Piraten waren bijgelovig. En een emmer overboord bracht ongeluk, dachten ze.

Pompen

Soms was iedereen aan het hozen. Dan was er een probleem. Want wie moest het schip varen? Daarom kregen piratenschepen later pompen. De pomp stond op het dek. Je kon er dus goed bij. Vanaf de pomp liep een buis naar beneden. De buis was heel lang. Hij ging tot in het diepste puntje van het schip. Als je pompte, kwam het water omhoog. Het ging door de buis en in zee. Pompen was zwaar werk. Maar het ging beter en sneller dan hozen!

Het dek schrobben

Jonge piraten moesten de rotste werkjes opknappen. Eén van die werkjes was het schrobben van het dek. Dat werd elke dag gedaan. Niet omdat piraten zo schoon waren. Maar op een schip werd teer en olie gebruikt. Daar werd het dek glibberig van. Als het schip een klein beetje schuin ging, gleed iedereen uit. Dat was niet handig. Daarom werd het dek zo vaak geschrobd.

Hou het dek nat

Er was nog een reden om het dek te schrobben. Het dek bestond uit houten planken. Hout dat lang droog is, krimpt. Als dat op het schip gebeurde, kreeg je kieren tussen de planken. Daar kon het water doorheen zakken en dan maakte het schip water. Daarom moest het dek nat blijven. En dat gebeurde door... te schrobben!

Leven aan boord

Vervelen

Wat deden piraten de hele dag? Ze schrobden het dek. Ze knoopten de touwen. Ze zetten soms een stuk in het zeil. Ze pompten het water weg. Ze maakten hun wapens schoon. Af en toe veroverden ze een schip. Maar er bleef nog heel veel tijd over. Wat deden ze in die tijd? Zich vervelen! Ze dronken rum en mopperden op het eten. Af en toe deden ze een spel. En ze maakten veel ruzie.

Een gokje wagen

Piraten deden vaak gokspelen. Daarmee vergokten ze heel wat van hun eigen buit. Daar kregen ze dan natuurlijk weer ruzie om.
Op de volgende pagina's staat een voorbeeld van een piratenspel. De piraten deden dit spel met geld of goud. Maar met kiezelstenen kan het natuurlijk ook!

Het grote piratenspel

Spelregels

Speel het spel met z'n tweeën. Schilder het bord over op een triplex plaat. Lak het af. Op papier tekenen kan ook. Je kunt zelfs met een takje in het zand tekenen. Ieder neemt twee kiezelsteentjes. Om niet in de war te raken, kun je de steentjes schilderen.

Leg allebei één steen op de rand van het bord. Het andere steentje verstop je in één hand. Je tegenstander moet raden in welke hand jij het steentje houdt. Raadt hij het goed? Dan mag hij zijn steen één ring naar het midden schuiven. Je raadt om de beurt. Wie het eerst in het midden is, heeft gewonnen.

Hoe deden piraten het spel?

In hun hand hielden ze één munt om te raden. Maar op het bord legden ze niet één munt, maar een hele stapel. Net zoveel als ze wilden vergokken. Per beurt schoven ze de stapel naar het midden toe. Wie won, kreeg alle munten.

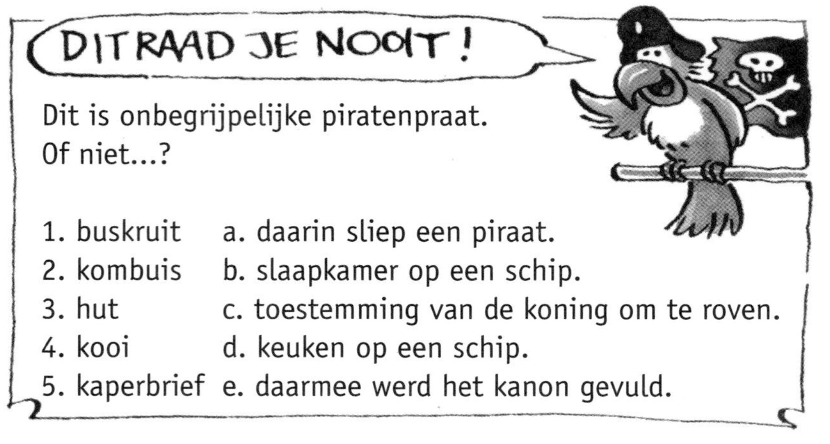

Dit is onbegrijpelijke piratenpraat.
Of niet...?

1. buskruit a. daarin sliep een piraat.
2. kombuis b. slaapkamer op een schip.
3. hut c. toestemming van de koning om te roven.
4. kooi d. keuken op een schip.
5. kaperbrief e. daarmee werd het kanon gevuld.

Dieren aan boord

Aan boord van een piratenschip waren vaak dieren. En echt niet alleen maar de papegaai van de kapitein! Op de volgende bladzijden zie je welke dieren je op een schip kon tegenkomen.

Elke dag een vers eitje. Daar zorgden de kippen voor. Soms legde een kip geen eieren meer. Dan werd ze in de pan gehakt. Ze zorgde zo dus voor een feestmaal!

Oplossing: 1 e, 2 d, 3 b, 4 a, 5 c.

DAT HEB IK WEER, EEN GEIT DIE NIET TEGEN KIETELEN KAN...
OOO...
HA
HA HA

Een geit zorgde voor verse melk. Maar vaak kreeg ze niet genoeg te eten. Dan gaf ze ook geen melk meer. Maar dat vonden piraten niet erg. Ze werd geslacht en opgepeuzeld. In de haven konden de piraten wel weer een nieuwe geit kopen.

Nou, ezels waren er genoeg aan boord (maar niet echt hoor!). Iedere piraat die iets stoms deed, werd zo genoemd!

Ook varkens zag je zelden aan boord. Maar een luie piraat werd er wel voor uitgescholden. Wij noemen iemand die lui is, nu ook wel eens zo. Maar aardig is dat niet, natuurlijk.

Ratten waren volop in het ruim aanwezig. En dat vond niemand fijn. Ze aten van de voorraden. En je kon nog ziek van ze worden ook!

Om de ratten te vangen ging er een kat mee aan boord. Ze had een goed leventje. Eten genoeg en de bemanning vond het wel gezellig dat ze er was!

Raar maar waar

Ratten waren echt een groot probleem. Voor alle schepen. Een Spaans schip voer in 1700 naar Amerika. De bemanning hield bij hoeveel ratten ze vingen. Het waren er meer dan... vierduizend!

Vlooien en luizen waren heel gewoon voor piraten. Die woonden in hun baard en haren. En in hun kleren, want die werden nooit gewassen. Ze beten en jeukten. Ze zorgden ervoor dat de piraten nog harder vloekten!

?
HEE! DEZE IS NOG NIET GEZOUTEN!

Om het schip vond je vissen in soorten en maten. Op het schip had je alleen vis die was gevangen en gezouten. Want zo bleven ze langer goed. Vis stond dan ook bijna elke dag op het menu!

Niemand vond wormen leuk. Maar je zag er genoeg. Uit elke scheepsbeschuit kropen er wel een paar!

Eten en drinken

Water aan boord

Onder in het schip lagen de voorraden. Buskruit en scheepsbeschuit. Gedroogde vis en reserve-touw. Bier en... water. Je zou denken: op een schip is water genoeg. Het schip ligt in het water. Vaak zagen piraten weken niets anders dan water. Als het ging stormen, liep het water soms zelfs het schip in. Waarom dan voorraden water meenemen?
Het water van de zee is zout. Zout water kun je niet drinken. Er was geen manier om het zout uit het water te halen. Zelfs nu kan dat nog niet zo makkelijk. Piraten moesten dus zelf schoon water meenemen.

Raar maar waar

Piraten dronken meer bier dan water. Waarom? Water bedierf! Je kon het niet lang bewaren. Het water aan boord werd gebruikt om te wassen. En om eten in klaar te maken. Om te drinken gebruikten de piraten bier. Daar werden ze ook een stuk vrolijker van!

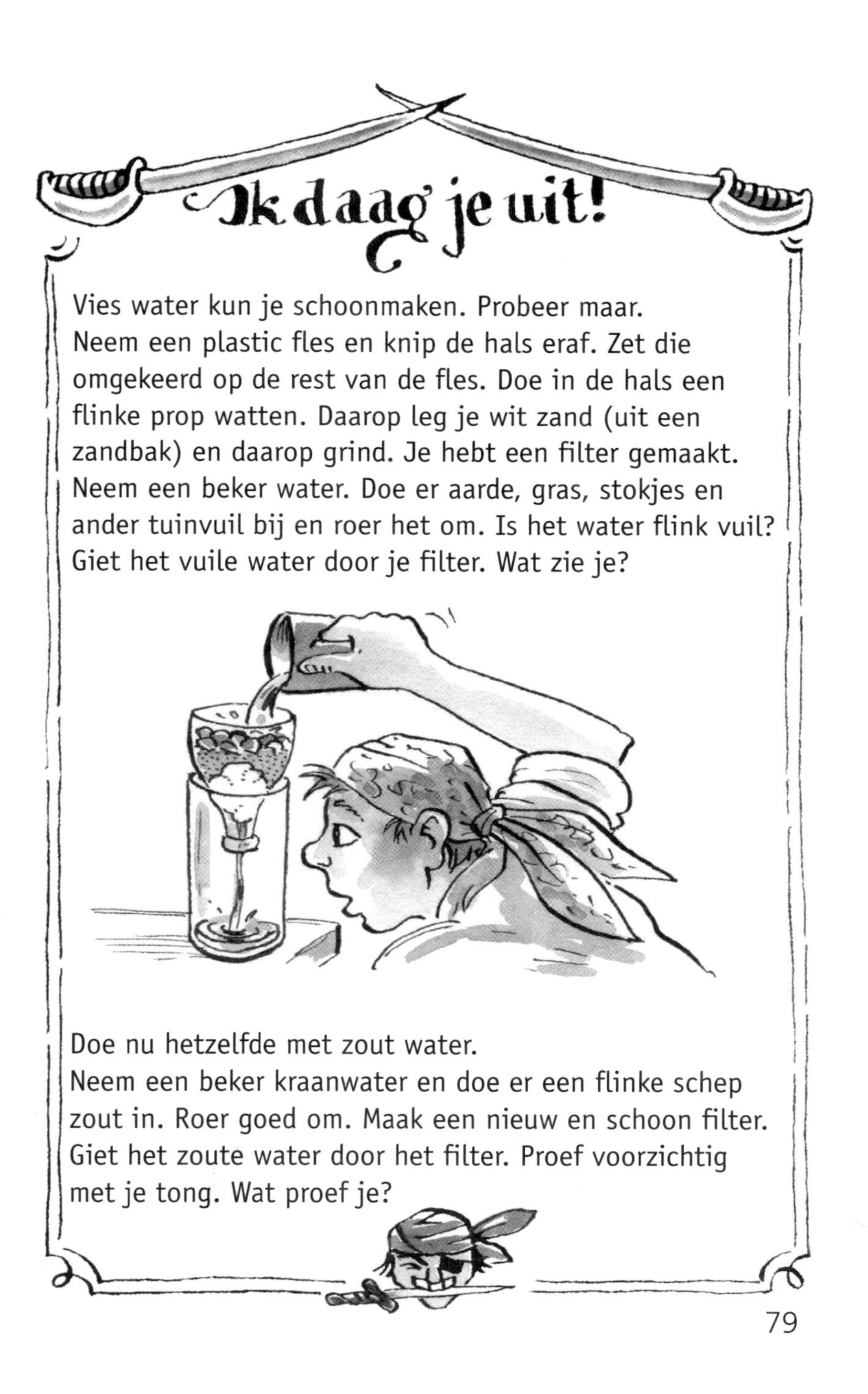

Ik daag je uit!

Vies water kun je schoonmaken. Probeer maar.
Neem een plastic fles en knip de hals eraf. Zet die omgekeerd op de rest van de fles. Doe in de hals een flinke prop watten. Daarop leg je wit zand (uit een zandbak) en daarop grind. Je hebt een filter gemaakt.
Neem een beker water. Doe er aarde, gras, stokjes en ander tuinvuil bij en roer het om. Is het water flink vuil? Giet het vuile water door je filter. Wat zie je?

Doe nu hetzelfde met zout water.
Neem een beker kraanwater en doe er een flinke schep zout in. Roer goed om. Maak een nieuw en schoon filter. Giet het zoute water door het filter. Proef voorzichtig met je tong. Wat proef je?

Water halen

Toch hadden piraten af en toe schoon water nodig. Op de kaart zochten ze een eiland waar niemand woonde. Daar gingen ze aan land. Ze zochten naar een stromende beek. Daar vulden ze hun flessen met water. Soms vonden ze een heel meer. Maar slimme piraten haalden geen water uit een meer. Stel dat er een dode vis in het water lag! Dan zou iedereen ziek worden van het water!

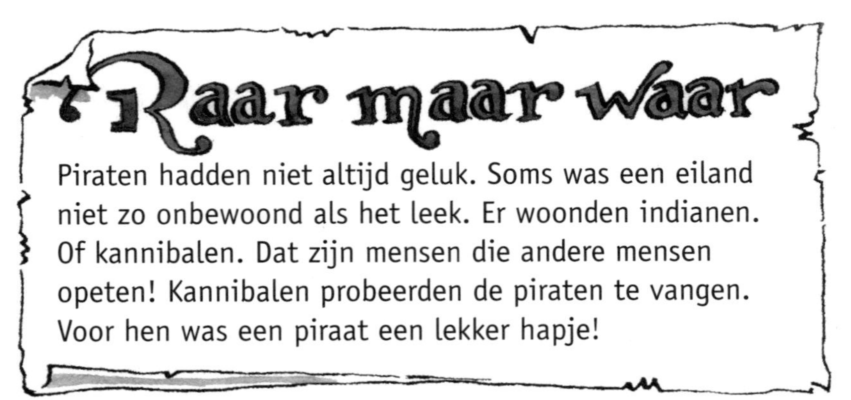

Raar maar waar
Piraten hadden niet altijd geluk. Soms was een eiland niet zo onbewoond als het leek. Er woonden indianen. Of kannibalen. Dat zijn mensen die andere mensen opeten! Kannibalen probeerden de piraten te vangen. Voor hen was een piraat een lekker hapje!

Kokkie kookt

De kok zorgde voor het eten aan boord. Hij kookte in de kombuis. Zo heet de keuken op een schip. Daar stond het fornuis. Voor het koken werd open vuur gebruikt. Dat was best gevaarlijk. Daarom was het fornuis ingemetseld in stenen. Die zorgden ervoor dat het vuur niet bij de rest van het schip kon komen.

Raar maar waar

Soms riep de kapitein dat de kok het vuur moest doven. Dan werd elke piraat een beetje bleek om zijn neus. Want dat betekende dat er zware storm kwam. Bij harde wind ging het schip schuin hangen. Dan kon het vuur uit het fornuis rollen. Daardoor kon er brand komen op het schip.

LAAT MAAR WAAIEN! IK HEB EEN VRIJE DAG!

Meel en scheepsbeschuit

Voor de eerste dagen van de reis gingen er groente, fruit en vlees mee. Maar verse spullen bedierven snel. Koelkasten bestonden nog niet. Diepvries ook niet. Niemand had ooit gehoord van blikgroente. Dus namen ze van alles mee dat niet bedierf. Zoals meel en scheepsbeschuit. Elke dag werd er brood gebakken. Tot het meel op was natuurlijk!

Een feestmaal

Piraten aten veel erwten en bonen. Want die bleven lang goed. Vlees en vis werden gedroogd of gerookt. Soms werd er een kip geslacht. Of er werd een schildpad gevangen. Dan was het feest aan boord!

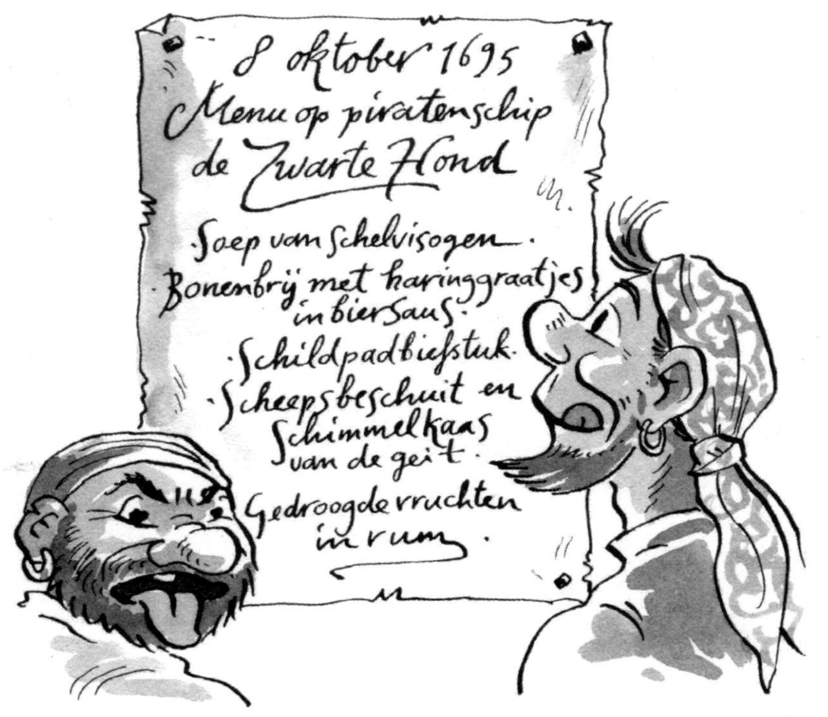

8 oktober 1695
Menu op piratenschip
de Zwarte Hond
Soep van schelvisogen.
Bonenbrij met haringgraatjes
in biersaus.
Schildpadbiefstuk.
Scheepsbeschuit en
schimmelkaas
van de geit.
Gedroogde vruchten
in rum.

Ziek

Piraten konden ziek worden. Dat was op een schip heel vervelend. Zeker als het besmettelijk was. Er was geen dokter en er waren ook geen medicijnen. In verre landen kregen piraten soms een onbekende ziekte.

NIETS AAN DE HAND. HIJ IS GEWOON ZEEZIEK!
BWEEURP!

DIT RAAD JE NOOIT!

Wat betekent het woord?

1. smokkelen	a. ziekte die je kreeg door te weinig vitamines.
2. scheurbuik	b. gedroogd soort brood dat lang goed bleef.
3. landrot	c. iets meebrengen zonder belasting te betalen.
4. scheepsbeschuit	d. wie dood was werd in zee gegooid.
5. zeemansgraf	e. iemand die nog nooit gevaren heeft.

Oplossing: 1 c, 2 a, 3 e, 4 b, 5 d.

Ziek van het eten

Ook van het eten konden piraten ziek worden. Soms was het eten bedorven. Het lag gewoon te lang. Of er liepen maden en wormen door de voorraden. Of de voorraad was aangevreten door zieke ratten. Of de kok dacht een lekkere vis klaar te maken. En dan bleek hij giftig te zijn.

Scheurbuik

Een ziekte die veel voorkwam, was scheurbuik. Niet alleen piraten kregen scheurbuik. Iedereen die lang op zee zat, kon het krijgen. Doordat je geen vers fruit en geen verse groente at, kreeg je te weinig vitamines. En daar werd je ziek van. Eerst wilden je benen je niet meer dragen. Dan ging je tandvlees bloeden. Tenslotte gingen je tanden loszitten, zodat je helemaal niet meer kon eten. Als je niets tegen de ziekte deed, ging je er dood aan.

Wat helpt tegen scheurbuik? Citroenen! Want in citroenen zitten veel vitamines. Maar dat werd pas in 1753 ontdekt. Heel wat zeelui waren toen al aan de ziekte doodgegaan. Want niemand wist wat je tegen scheurbuik moest doen. Wie het wel wist, was kapitein Cook. Hij was geen piraat, maar een bekende ontdekkingsreiziger. Hij dwong zijn bemanning om citroenen te eten. En die trokken daar vast een heel zuur gezicht bij!

Geen piraat meer

Niet oud
Piraten werden vaak niet oud. Op zee loerde veel gevaar. Je kon overboord slaan. Of je kreeg straf en je werd van het schip gezet. Je raakte gewond bij een gevecht. Of je kreeg scheurbuik, griep of gele koorts. Wie ziek werd op een schip, ging vaak dood.

Gepakt
Soms werd een piratenschip gepakt. Soldaten namen de piraten gevangen. Ze moesten mee naar land. In de haven werden ze berecht. Iedereen was bang voor piraten. Daarom werden ze zwaar gestraft.

In het ruim
Soldaten namen de piraten mee op hun schip. Daar hadden ze het heel slecht. Ze werden in het ruim gestopt. Daar was het donker en het stonk. Er was geen wc. Eten kregen ze niet. Waar leefden ze dan van? Ze vingen ratten en die aten ze op!

STEEK DE BARBECUE MAAR AAN!

In de gevangenis

Eenmaal aan land kregen de piraten het niet beter. Ze gingen naar de gevangenis. Daar was het donker en vies. Wilde je eten? Daar moest je voor betalen. Wilde je een kaars voor wat warmte of licht? Ook dat kostte geld. Ontsnappen kon je wel vergeten. Elke piraat kreeg boeien om elke hand en voet. Die boeien waren van ijzer en heel zwaar. Soms wogen ze wel zeven kilo per stuk!

Aan de galg

Veel piraten gingen naar de galg. Aan de galg hing een touw van hennep. Dat bewoog heen en weer in de wind. Piraten maakten daar grapjes over. Ze spraken van: de hennepdans. Totdat ze zelf naar de galg moesten. Dan was het echt niet grappig meer!

DE ERGSTE STRAF

De ergste straf voor een piraat was de galgkooi. Die hing bij de ingang van de Theems. Dat is een rivier in Engeland. In de kooi paste precies een man. Een piraat werd in de kooi gehangen. En daar bleef hij hangen. Soms maandenlang! Hij was dan allang dood. Het was een naar gezicht. Maar dat was ook de bedoeling. Andere piraten moesten ervan schrikken. Dan stopten ze vast wel met roven!

Het eind van Jan Piraat

Jan Piraat
kon heel goed roven.
Hij beroofde ieder schip.
Van benedenruim tot boven.
Hij stal alles in een wip.
Jan Piraat liet zich niet
vangen.
Maar gevangen werd hij toch.
Toen kon Jan ook heel goed
hangen.
In een kooi:
Daar hangt ie nóg!

Raar maar waar

Koning George van Engeland was de piraten zat. Daarom maakte hij in 1716 een wet. Die wet moest het roven stoppen. In de wet stond dat een piraat geen straf kreeg. Maar dan moest hij naar een Engelse haven gaan. Daar moest hij beloven om nooit meer te roven. Zijn naam werd opgeschreven en hij mocht eerlijk gaan leven. Veel piraten deden dat. Ze stopten met roven en zochten werk. Maar andere piraten vonden roven juist leuk. Veel leuker dan matroos zijn of visser of boer.

Het einde van het roven

Tot 1850 waren piraten de schrik van de zee. Toen veranderde er iets. Schepen gingen op stoom varen. Dat ging sneller. Ze konden nu overal varen. Ook op plekken waar vaak geen wind was. Piraten konden dat niet. Zij hadden nog steeds zeilschepen. Soldaten met een stoomschip kregen de piraten nu makkelijk te pakken!

In het begin leken de stoomschepen erg op zeilschepen. Er stond een mast op. Ze hadden zeilen. Er was maar één verschil. Er stond een schoorsteen op het schip. Daaruit kwam rook. Piraten die voor het eerst een stoomschip zagen, wisten dat niet. Ze dachten dat het een zeilschip was. En dat er brand was. Ze wilden het schip beroven. Ze zeilden erheen. Maar het schip draaide. Het voer tegen de wind in naar de piraten toe. De piraten hadden nog nooit zoiets gezien. En... ze werden gepakt!

Het verdrag van Parijs

In 1856 kwam er een verdrag. Dat is een afspraak. In Parijs werd het verdrag op papier gezet. Alle landen tekenden het verdrag. In het verdrag stond: kapen mag niet meer. Daarmee verdween de kaperbrief.

Nodig ze uit!
Nodig al je vrienden uit voor een echt piratenfeest.

Versiering
Maak slingers in piratenkleuren, dus rood en zwart. Hang doodshoofden op en vissenkoppen, touwen en zeil (oud laken). Leg zeewier neer van groen papier en schelpen. Heb je een hangmat? Hang die dan ook op.

Vlag
Maak je eigen piratenvlag. Hiervoor beschilder je een stuk laken. In dit boek vind je voorbeelden. Je kunt de vlag ook met z'n allen op het feest maken.

Masker
Maak voor iedereen een kopie van het piratenmasker op bladzijde 32 en 33. Iedereen maakt daarvan zijn eigen masker.

Kleding

Iedereen is als piraat verkleed. Schrijf dat erbij op de uitnodiging. Zorg zelf voor een hoop ooglappen (zwart lapje aan zwart lint) en bonte hoofddoeken.

De schat
De schat zit natuurlijk in een echte schatkist. Die maak je van een oude doos. De schat bestaat uit munten (muntdrop) of munten van karton of snoep.

Schatkaart
Verstop je schat op een goede plaats. Om de schat te vinden, heb je een schatkaart nodig. Teken de plattegrond van je huis. Of van de tuin als je de schat daar hebt verstopt. Op de plaats van de schat zet je een kruisje. Plak de kaart op karton.

Puzzel
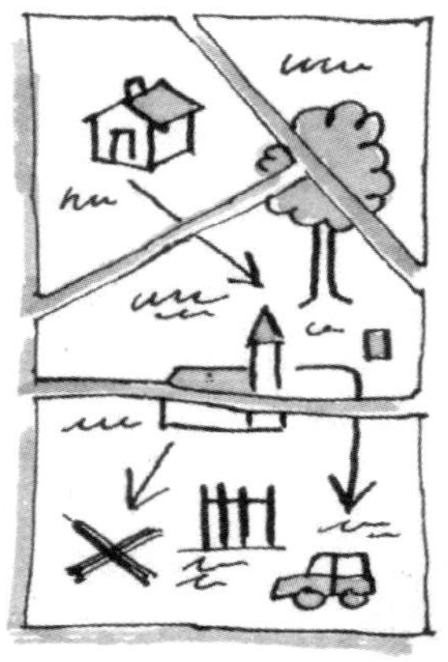

Knip de kaart nu in stukken.
Bij aankomst krijgt elk kind een stuk schatkaart. Samen kunnen ze de schat vinden.
Nog leuker: bedenk piratenspellen. Wie een spel wint, krijgt een stuk van de kaart. Pas als de kaart compleet is, kun je op zoek gaan naar de schat.

Piratenspel

Speel het piratenspel van bladzijde 72 en 73. Bedenk nog meer spellen, zoals een wedstrijdje dek zwabberen, water hozen (emmer leegmaken met bekertjes) of touwen knopen.

Piratenbier

Piraten drinken piratenbier. Je hebt licht bier (appelsap) en donker bier (cola). Plak gewoon je eigen etiket over de fles.

Piratenkoekjes

Bak koekjes. Voor het bakken versier je elk koekje op z'n piraats. Hoe? Met een satéprikker teken je op elk koekje een visgraat of een doodshoofd.

Scheepsbeschuit

Neem rijstkoeken of ronde crackers. Die lijken een beetje op scheepsbeschuit. Natuurlijk kruipen er wormen uit. Neem rode wol. Met een naald steek je korte draadjes door de rijstkoek heen. Veel piratenplezier!

Register